ALFAGUARA

INFANTIL Y JUVENIL

© 2009, C. J. García

Ilustraciones de Magalí Mansilla

© De esta edición:
2009 – Ediciones Santillana, Inc.
avda. Roosevelt 1506,
Guaynabo, Puerto Rico, 00968

Impreso en México
Impreso por Editorial Impresora Apolo
ISBN: 978-1-60484-605-8

Dirección de la colección: Neeltje van Marissing
Edición: D. Lucía Fayad Sanz
Corrección: Esther Rodríguez Miranda e Isabel Batteria Parera
Asesora pedagógica: Lilly R. Cruz
Supervisión lingüística: Dra. Rosario Núñez de Ortega

Una editorial del Grupo Santillana que edita en:
• Argentina • Bolivia • Brasil • Chile • Colombia
• Costa Rica • Ecuador • El Salvador • España
• Estados Unidos • Guatemala • Honduras • México
• Panamá • Paraguay • Perú • Portugal • Puerto Rico
• República Dominicana • Uruguay • Venezuela

Juntos jugamos

C. J. García

Ilustraciones de Magalí Mansilla

*A mis hermanos Luis y Víctor,
y a sus respectivas comunidades*

Cuando me mudé al barrio Roberto Clemente, casi exploto de alegría.

Primero, porque iba a vivir en un lugar con el nombre del pelotero más famoso de la Isla. Segundo, porque ese era el vecindario donde residían los actuales subcampeones de la Liga de Béisbol Juvenil. Y, tercero, porque yo les ayudaría a convertirse en los nuevos reyes de la pelota juvenil.

Así que, tan pronto mis padres y yo nos instalamos en nuestro nuevo hogar, agarré mi guante, lo ensarté en la punta de mi bate favorito y salí a buscar el parque de béisbol.

Apenas había andado un par de cuadras cuando una siniestra voz tronó a mis espaldas.

—¡*Hey, hey*! ¿Eres nuevo aquí?

Intrigado por aquellos bramidos como de elefante, me volteé. La chica que me interrogaba tendría mi misma edad, pero era tan corpulenta que sentí que las rodillas se me pusieron como tembleque.

—¿¡Que si eres nuevo aquí!? —insistió la muchachota, que corría sin frenos hacia mí como una guagua con tenis.

—Pues, sí... —balbuceé bajo mi gorra de los Yankees—. Me llamo Luichi y acabo de mudarme a...

—¿De veras?... —ella interrumpió en un tono intimidante—. ¿Y por qué estás disfrazado así?

—¿Cómo que disfrazado?

—Tú sabes, de pelotero.

No entendía ni papa. Yo que estaba tan feliz por haberme mudado a ese barrio y, de repente, aquella grandulona me interrogaba como si ella fuera un sargento.

Entonces, una vocecita de varón salió de la nada:

—Quizá pueda aclararte por qué Zoé desconfía de ti.

Al menos, ya sabía cómo se llamaba la mole con trenzas. Ahora solo debía descifrar de dónde provenía aquella voz de ratoncito.

De pronto, de atrás de la enormidad con trenzas, apareció un chico que tenía una constelación de pecas en el rostro. Estaba sentado sobre una silla de ruedas.

—Hola, me llamo Willie.

—Y yo, Luichi —me presenté, mientras le estrechaba la mano al recién aparecido—. Y, como le dije a Zoé, acabo de mudarme a este barrio y solo quiero ir al parque de pelota.

—¿¡Al parque de pelota!? —se extrañaron ambos.

—Digo, si no les molesta —respondí, sintiendo más firmes mis rodillas.

—Para nada —sonrió Willie—. Síguenos, por favor.

Mientras nos dirigíamos al parque, Willie me contó que, hacía varios meses, nadie jugaba pelota en el barrio.

—¿Por qué no? —pregunté.

—Es que unos chicos malos se apoderaron del parque y dejó de ser seguro jugar allí —aclaró—. Por suerte, a algunos se los llevó la Policía y los demás desaparecieron como fantasmas.

—Pero si ellos se fueron —planteé con ingenuidad—, ¿por qué no se puede jugar en el parque?

—Nene, deja el blablablá y mira pa' allá —me ordenó Zoé, mientras señalaba hacia el parque—. ¿Tú crees que ahí se puede jugar pelota?

Mi amigota tenía razón. Lo que una vez había sido un superparque de béisbol era ahora un vertedero. O, más bien, una tupida selva, en la que, en vez de animales salvajes, moraban manadas de televisores rotos, de neumáticos pinchados y de esqueletos de bicicletas.

—¿Ves por qué no podemos jugar en el parque? —recalcó Zoé.

—¡Pues no estoy de acuerdo contigo! —dije con tanto ímpetu que la gigantona pareció intimidarse un poco—. Yo me mudé a este barrio para ser campeón y voy a serlo, aunque tenga que limpiar el parque yo solo.

Para demostrar que hablaba en serio, salté como una rana por encima de la verja que rodeaba el parque.

Tuve la mala suerte de aterrizar sobre una paila vacía de pintura que yacía entre unos matojos. Esto provocó que mis pies rodaran como quien pisa una patineta oculta, de modo que volé por los aires hasta que mis pompis cayeron sobre un moriviví.

Por supuesto que nada, ni las burlonas risas de Zoé ni mi adolorida colita, iba a tronchar mi empeño en limpiar el parque. Así que, me zafé de los inofensivos pinchazos del moriviví y me dispuse a recoger el cubo que me había hecho pasar tan grande vergüenza.

Entonces, noté que mi gorra de los Yankees se hallaba al lado del odioso cubo. Debió habérseme caído mientras volaba por los aires como un cucubano fundido.

Lo curioso fue que, cuando me agaché para recoger mi gorra, me pareció que dio un ligero brinco. Pensando que aún estaba aturdido por el golpetazo en la retaguardia, intenté agarrarla de nuevo.

Esta vez, salió disparada, como si llevara un cohete en su interior.

Tras perseguir mi gorra por varios segundos, por fin pude agarrarla por la visera y levantarla del suelo.

¡Qué sorpresa la que me llevé cuando vi una mangosta pararse sobre sus patas traseras! ¡Y qué miedo sentí cuando me mostró sus dientes como un piano enfurecido!

No sé cómo lo hice, pero di un brinco tal que caí parado entre mis nuevos amigos.

—¿Ves que no es tan fácil? —ironizó Zoé, entre carcajadas que sonaban a tuba desafinada.

—Además —me informó Willie—, jamás podríamos cumplir con la fecha límite.

—¿Qué fecha límite? —pregunté, mientras observaba la mangosta que volvía a su hogar en la paila de pintura.

—La que determina la Liga de Béisbol Juvenil para inscribir los equipos que van a jugar esta temporada.

—¿Que es cuándo?

—Dentro de un mes.

—O sea —planteé para entender bien las cosas—, ¿que tenemos un mes para habilitar el parque y poder jugar la temporada que viene?

—Eso es así —se lamentó Willie.

—¿Ves que es imposible, Luichito? —dijo Zoé, añadiendo un *ito* a mi nombre, como para ridiculizarme.

—Pues tienes razón, Zoota —le contesté, devolviéndole un *ota*, para desconcertarla.

—¿Ves que tengo razón? —me interrogó, confundida.

—Sí, es totalmente imposible para mí solo arreglar el parque en un mes. También, sería difícil hacerlo entre nosotros tres. Pero déjame preguntarte algo, Zoé. ¿Cuánta gente hay en un equipo de pelota?

—Pues, sin contar a los jugadores de reserva, nueve.

—Exacto —confirmé—. ¿Y esos nueve tienen padres?

—Claro.

—¿Y hermanos?

—Seguro.

—¿Y tienen tíos, primos, abuelos, vecinos, maestros y amigos?

—También.

—Pues, como ves —le expliqué a Zoé—, no somos uno, tres, ni nueve; somos una comunidad completa que, si se lo propone, puede lograr lo que quiera, aunque sea en poco tiempo. Así que, la decisión es nuestra… ¡Juntos jugamos o no jugamos!

—Pues yo sigo diciendo que es demasiado tarde —insistió la muy pesimista.

—¡Y yo digo que le demos una oportunidad al plan de Luichi! —exclamó Willie, quien, de pronto, sacó su celular.

Acto seguido, se puso a llamar a todos los chicos del barrio.

No sé cómo lo logró, pero, en menos de media hora, todos los integrantes del equipo de pelota se hallaban congregados en las gradas del parque.

Allí todos nos asignamos una tarea específica para limpiar y rehabilitar ese espacio. Por ejemplo, un chico al que le dicen Tachuela (quizá porque es flaquito y cabezón) se comprometió a recortar toda la vegetación que cubría el parque, sin gastar ni un solo centavo en jardineros ni en gasolina para máquinas cortacésped.

¿Cómo lo hizo? Llamando a su tío Chucho, quien se apareció con una docena de chivos. Estos no solo se comieron la maleza, sino que, también, se tragaron latas, tablillas de automóvil y hasta trozos de madera. (Espero que la mangosta haya huido a tiempo, porque con el hambre que tenían esos chivos...).

Una vez desyerbado el campo de juego, Zoé y los chicos más forzudos del barrio sacaron los escombros más pesados. Algunos de los que más me llamaron la atención fueron media docena de mohosas lavadoras, el tren delantero de un vehículo todoterreno y hasta un misterioso aparato que me pareció un satélite caído del espacio.

Entonces, una niña a quien llaman Queenie (no sé si porque parece una reina o porque parece un pajarito) se subió a los postes de la luz para arrancarles las enredaderas que trepaban como espinosas serpientes. Luego, ascendió hasta lo más alto y cambió los focos que los chicos malos habían roto a pedradas. Confieso que, al principio, me dio miedo verla allá arriba, pero, cuando supe que era hija de unos trapecistas retirados del circo, me tranquilicé.

Por último, Willie y un grupo de sus ciberamigos organizaron un sistema de reciclaje con los escombros que habíamos sacado del parque. Con la venta de los materiales reciclables más valiosos, como el aluminio y el cobre, obtuvimos suficiente dinero para comprar nuestros uniformes, una ristra de bates y un montón de pelotas.

Y así continuamos trabajando, hasta que llegó la fecha límite y la Liga de Béisbol Juvenil fue a inspeccionar Nuestro Parque (este fue el nombre con el que lo bautizamos). Los agentes quedaron tan impresionados con nuestros esfuerzos que no solo nos dieron el visto bueno para competir, sino que nos concedieron el honor de inaugurar la temporada en nuestro renovado campo deportivo.

Poco después, tras unas semanas de intensas prácticas, quedó conformado Nuestro Equipo. Yo sería el primer bate; Zoé, el cuarto bate; y Willie, el bateador designado. Por cierto, como no podía avanzar rápidamente en su silla, Queenie —quien era tan veloz en la tierra como en el aire— correría las bases por él.

Yo me mudé al barrio Roberto Clemente para formar parte de un equipo campeón, pero creo que he logrado eso antes de que se lance la primera bola de esta nueva temporada.

Cuando miro las gradas, en vez de un grupo de holgazanes, veo familias enteras que vitorean nuestro equipo. Y, cuando miro el parque, en vez de una jungla de basura y alimañas, veo un diamante de barro rojo seguido de jardines color esmeralda. Cuando miro a los ojos de Zoé, en vez de furia y desconfianza, veo que me mira con unos corazoncitos que se le salen de las pupilas. *Okey*, esto me da más miedo que el día que me iba a espachurrar como una guagua con tenis, pero eso es un tema para otra historia.

Si quieres aprender algo más, continúa leyendo...

© Terry Ross

Se lo llama trabajo comunitario al que realizan los miembros de una comunidad cuando se reúnen para atender las necesidades que comparten. Es un proceso de transformación que ellos mismos se encargan de concebir, planificar, ejecutar y evaluar.

El trabajo comunitario no solo puede ser útil para resolver problemas locales de salud, de seguridad o del medioambiente; también, sirve para prevenirlos.

Una de las grandes ventajas del trabajo comunitario es que fomenta que tanto los jóvenes como los adultos se interesen en cuidar de su comunidad. Este tipo de trabajo no es exclusivo de quienes se dedican a una profesión particular, ya que todo tipo de conocimiento puede ser útil.

El trabajo comunitario promueve el desarrollo de la democracia, pues permite una participación más directa de la población en la toma de decisiones y en la fiscalización de las actividades.

Recuerda que, aunque se trate de trabajar en grupo, debes respetar el modo como cada cual decida contribuir. Cada persona aporta sus conocimientos o habilidades, según se lo permitan sus demás compromisos y responsabilidades.

Reúnete con un grupo de amigos, identifiquen un problema de tu escuela o de tu vecindario, diseñen una estrategia para resolverlo y todos juntos... ¡a trabajar!